D0355088

Le cœur de la Terre

Cet ouvrage illustré par Muzo est extrait du volume 5
« Planète Terre »
de l'Encyclopédie pratique des Petits Débrouillards,
chez Albin Michel Jeunesse

© 2001 Albin Michel Jeunesse -22, rue Huyghens 75014 Paris – Loi 49 956 du 16 juillet 1949 sur les publications destinées à la jeunesse – Dépôt légal premier semestre 2001 – N° d'édition 12 142 – ISBN 2 226 11827 6–
L'appellation *Les Petits Débrouillards* est une marque déposée.

Le cœur de la Terre

ALBIN MICHEL JEUNESSE

Le cœur de la Terre

Mode d'emploi

Des expériences

**Il te faut de la patience,
de l'humour, de la persévérance !
N'hésite pas à recommencer
certaines expériences
ou à les faire découvrir à
ta famille, à tes amis.**

Chaque expérience est classée :

Elle demande
du temps,
ou du matériel,
ou décrit
des phénomènes
compliqués
mais passionnants.

Avec un peu
d'attention,
elle permet de
connaître et
de saisir
des phénomènes
scientifiques
élaborés.

Elle se fait vite,
ou presque
sans matériel,
ou se comprend
aisément.

- En raison des produits employés, certaines expériences doivent se faire avec un adulte. La manipulation n'en sera que plus sûre et plus réussie. Cela est indiqué par la phrase : *« Cette expérience se fait en présence d'un adulte ».*

Les rubriques des expériences

LA MANIPULATION

est le déroulement point par point de l'expérience (ou de l'observation ou de l'enquête).

LE MATÉRIEL

dont tu as besoin est très courant et inoffensif, il se trouve chez toi, dans la cuisine, la cour ou le grenier ! Certains produits, peu coûteux, sont à acheter ; ex : le bicarbonate de soude, sans danger, qu'on se procure en pharmacie.

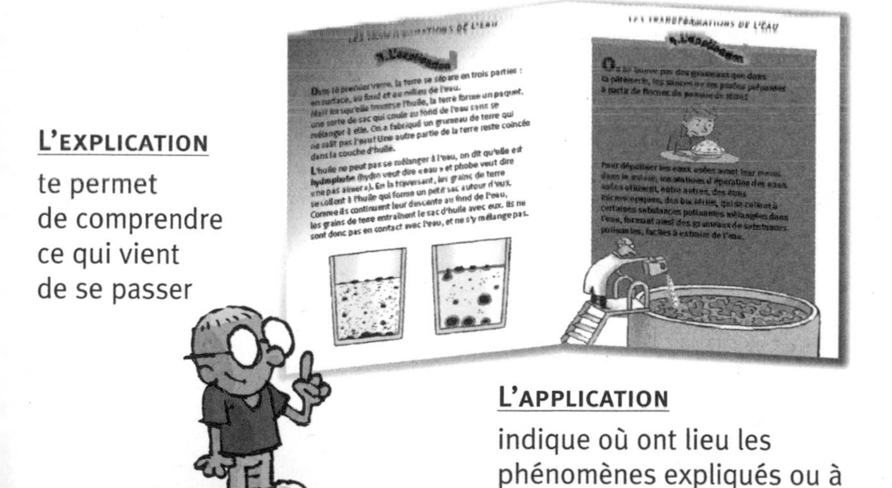

L'EXPLICATION

te permet de comprendre ce qui vient de se passer

L'APPLICATION

indique où ont lieu les phénomènes expliqués ou à quoi ils peuvent nous servir.

INTRODUCTION

Le cœur de la Terre

Les volcans, en crachant leur lave, montrent que l'intérieur de la Terre est chaud et qu'il est composé de roches. Mais lorsqu'on observe les roches présentes à la surface

de la planète, on ne trouve pas
que des roches volcaniques.
De nombreuses contiennent
des cristaux, et certaines même
des fossiles.
Cela signifie que la formation
de la croûte terrestre se fait
de différentes manières.
Les roches pouvant contenir
des fossiles se sont déposées
à la surface de la croûte terrestre
petit à petit durant la longue vie
(4,5 milliards d'années) de notre

planète. Elles proviennent
de la destruction des roches
situées en profondeur ou
du dépôt des coquilles d'animaux.
Ce ne sont donc pas elles
qui nous intéresseront
dans ce chapitre. Nous verrons
plutôt comment fonctionne
la « machine Terre », grâce
au lent travail des géologues,
leurs observations,
leurs expériences, mais aussi
grâce aux astronomes qui étudient

les planètes et les étoiles.
Qu'est-ce qui réchauffe le centre de la Terre ? Qu'est-ce qui provoque la remontée de la lave ou d'autres roches comme le granit ?
Au fait, l'intérieur de la Terre est-il liquide ou solide ?

expérience
TRÈS FACILE

Un grumeau de poussière d'étoiles

L'Univers est envahi de poussières et de gaz. Comment les étoiles et les planètes peuvent-elles se former à partir de ces poussières ?

1 Le matériel

- 1 verre d'eau
- 1 cuiller à café
- de la farine

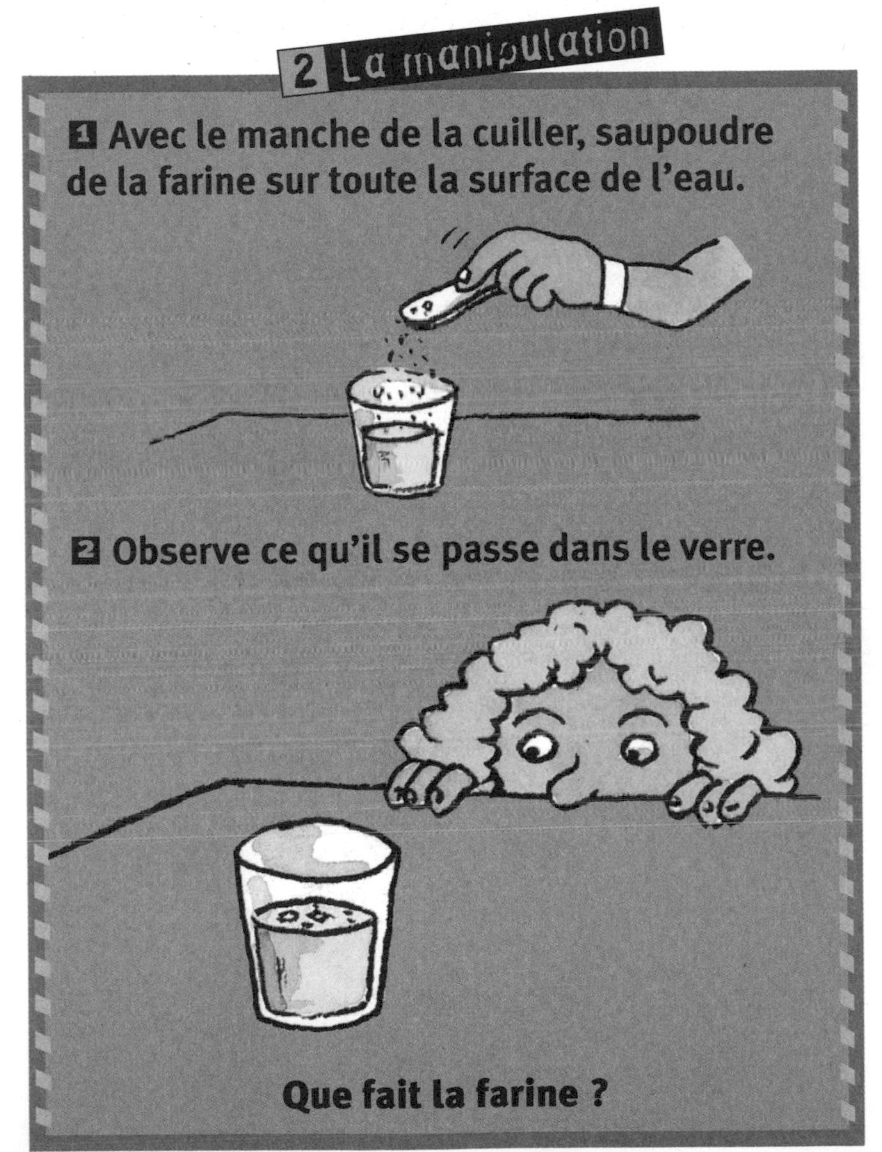
2 La manipulation
1 Avec le manche de la cuiller, saupoudre de la farine sur toute la surface de l'eau.
2 Observe ce qu'il se passe dans le verre.
Que fait la farine ?

3 L'explication

Au départ, la farine flotte sur l'eau.
Puis, petit à petit, les grains coulent, soit seuls, soit en petits blocs, comme des grumeaux.

Comme ils ne peuvent pas se mélanger totalement à l'eau, se dissoudre, les grains ne sont mouillés qu'en surface.
Ainsi, seule la surface d'un bloc, d'un grumeau, se mouille. Les grains de l'intérieur, restés au sec, sont agglomérés, poussés par l'eau qui entoure le bloc, et qui forme le même type de peau qu'à la surface du verre.

4 L'application

Lorsqu'un nuage de poussières et de gaz se forme dans l'Univers, il arrive que, soudain, une zone plus concentrée se mette à attirer ce qui l'entoure grâce à une force d'attraction appelée la « gravité ». C'est cette force qui fait tomber les objets vers la Terre, qui attire la Lune vers notre planète et la Terre vers le Soleil.

Le « grumeau » de poussières d'étoiles ainsi formé s'échauffe fortement en son centre. La chaleur qui se dégage est causée par l'assemblage de certains atomes de gaz entre eux. Suivant sa taille et sa masse, le grumeau devient une étoile ou une planète.

La Terre est un œuf dur

Comment peut-on imaginer l'intérieur de notre planète ?

1 Le matériel

- 1 œuf dur avec sa coquille
- 1 compas
- 1 couteau-scie
- 1 verre d'eau

2 La manipulation

1 Fais des trous tout autour de l'œuf avec la pointe du compas.

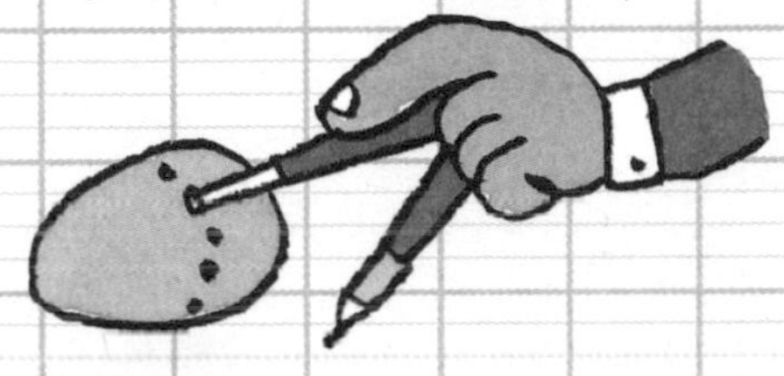

2 Découpe l'œuf en deux en faisant passer la lame du couteau par les trous du compas.

3 Trempe la moitié d'œuf la plus grosse dans l'eau et ressors-la.

Tu as réalisé une coupe qui ressemble à celle de la Terre !

3 L'explication

Autour de l'œuf, il y a de l'air, qui représente l'atmosphère terrestre. L'eau qui mouille la coquille remplace les océans, dont la profondeur ne dépasse pas 10 kilomètres.

La coquille est dure comme la croûte terrestre et aussi peu épaisse (de 6 à 35 kilomètres selon l'endroit). Le blanc d'œuf, c'est ce qu'on appelle le manteau ; lui a 2 900 kilomètres d'épaisseur.

Le jaune figure le noyau de la Terre, qui a un rayon de 3 500 kilomètres.

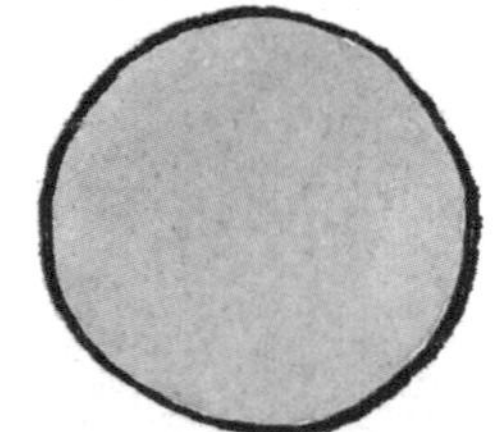

4 L'application

La Terre est plus ronde qu'un œuf, mais son noyau est à peine plus ovale que le jaune d'un œuf. Le noyau est fait d'une graine solide entourée d'une couronne liquide. Les roches du manteau, chauffées par désintégration des éléments radioactifs qu'elles contiennent, et peut-être aussi par le noyau, sont constamment animées d'un mouvement extrêmement lent. La croûte est l'écorce de la Terre. Elle est constituée de roches du manteau remontées vers la surface qui se sont durcies en refroidissant.

Le manteau de la Terre : dur ou mou ?

expérience SIMPLE

Sur la Terre, les matières sont soit dures, soit molles. Peuvent-elles être dures et molles à la fois ?

2 La manipulation

1 Verse un peu d'amidon dans le bol. Ajoute peu à peu de l'eau en mélangeant doucement avec la cuiller.

2 Cesse d'ajouter de l'eau lorsque tu sens que la pâte est un tout petit peu liquide.

3 Très vite, forme une boule avec cette pâte et pose-la dans l'assiette. Donne immédiatement un coup de poing sur la boule.

Que lui arrive-t-il ?

4 Regarde ensuite ce que fait la pâte.

Reste-t-elle en morceaux durs ?

3 L'explication

Un coup de poing casse la boule en morceaux, comme si elle était solide. Mais la pâte laissée sur l'assiette s'étale comme si elle était liquide !

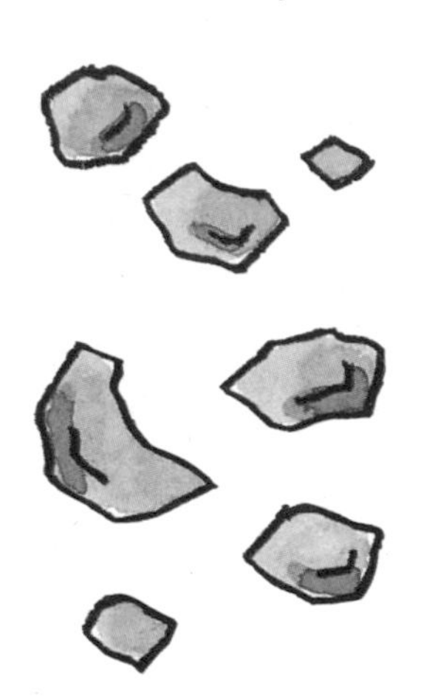

Les grains d'amidon mouillés s'accrochent entre eux, mais pas assez pour rester en boule. Celle-ci a donc tendance à s'étaler sur l'assiette.

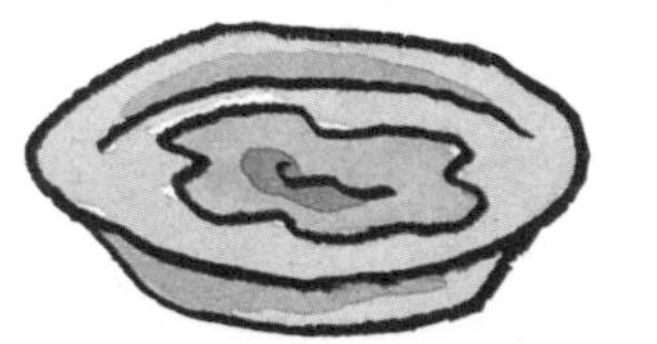

Si l'on applique une force très rapide sur la boule, un coup de poing, la pâte ne peut plus s'écraser avec lenteur, car il faut du temps aux grains pour glisser les uns sur les autres. Alors, la boule se casse.

4 L'application

Alfred Wegener, un météorologue du début du 20e siècle, pensait que les continents étaient des radeaux. Selon lui, ces embarcations flottaient et se déplaçaient sur les roches des profondeurs de la Terre. À l'époque, on ne l'a pas cru, ce qui était une erreur car, à partir de 30 kilomètres de profondeur, les roches sont comme l'amidon de maïs. Si on pouvait les toucher, elles nous paraîtraient solides et immobiles. Pourtant, elles se déplacent en montant, en descendant ou en tournant. On ne peut s'en rendre compte directement car les roches mettent des milliers ou même des millions d'années pour faire quelques mètres.

Mélangés par la chaleur

La lave des volcans semble avoir été fondue puis refroidie. Tous ses composants ont-ils complètement fondu ?

1 Le matériel

- 1 morceau de bougie
- 1 noix de beurre (ou de margarine)
- 1 bonbon au caramel
- 1 morceau de sucre
- 1 poêle
- 1 cuiller en bois
- 1 cuisinière

2 La manipulation

L'expérience se fait en présence d'un adulte.

1 Dépose les ingrédients côte à côte dans la poêle.

2 Demande à un adulte de faire chauffer la poêle à feu doux.

3 Au fur et à mesure que les ingrédients fondent, mélange-les avec la cuiller en bois.

Fondent-ils tous en même temps ?

3 L'explication

**Le beurre fond en 30 secondes.
Il est suivi par le caramel puis par la cire de bougie. Le sucre ne fond qu'au bout de plusieurs minutes.**

Suivant leur composition, des matières différentes ne fondent donc pas à la même vitesse.

En réalité, la fonte, qu'on appelle aussi la fusion, dépend de la température à laquelle est chauffée la matière. Il faut plus de quantité de chaleur pour fondre du sucre que pour fondre du beurre.

Si l'on arrête la cuisson au bout d'une minute et qu'on mélange les ingrédients, des morceaux de sucre et de cire de bougie baignent dans un mélange de beurre et de caramel.

4 L'application

Sous l'écorce terrestre, il se passe la même chose que dans une poêle : les minéraux ne fondent pas tous à la même température. Suivant la température et la profondeur auxquelles ils se trouvent, certains vont fondre et se mélanger, d'autres vont rester solides. Quand la lave est éjectée par un volcan, en se refroidissant, elle apparaît comme une pâte dans laquelle sont inclus des cristaux de minéraux qui n'ont pas pu se mélanger car ils n'ont pas fondu.

Ascension liquide

La croûte terrestre est surtout composée de roches provenant de très grandes profondeurs. Comment celles-ci remontent-elles vers la surface ?

expérience
TRÈS FACILE

1 Le matériel

- **1 bouteille** de jus de fruit à large goulot en verre, à 1/2 remplie d'eau
- **1 compas**
- **1 pique à brochette** ou 1 aiguille à tricoter
- **1 boîte de** pellicule photo remplie d'huile

1 Perce avec le compas 5 trous dans le couvercle de la boîte.

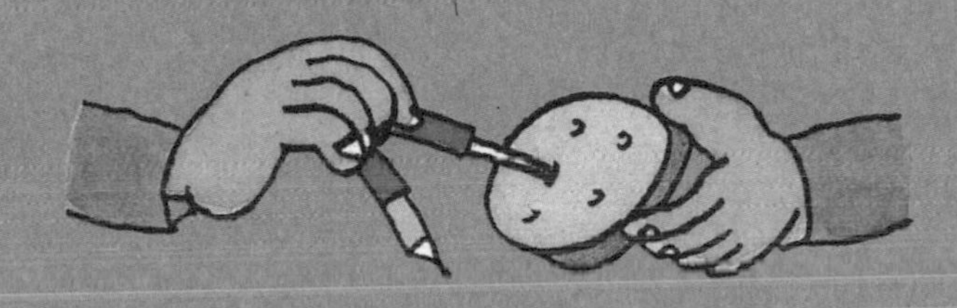

2 Enfonce la pique dans l'un des trous.

3 À l'aide de la pique, enfonce la boîte au fond de la bouteille.

Que se passe-t-il ?

Des gouttes d'huile sortent par les trous de la boîte et remontent à la surface.

L'huile est moins dense que l'eau. Cela veut dire qu'une goutte d'huile est plus légère que la même goutte d'eau.

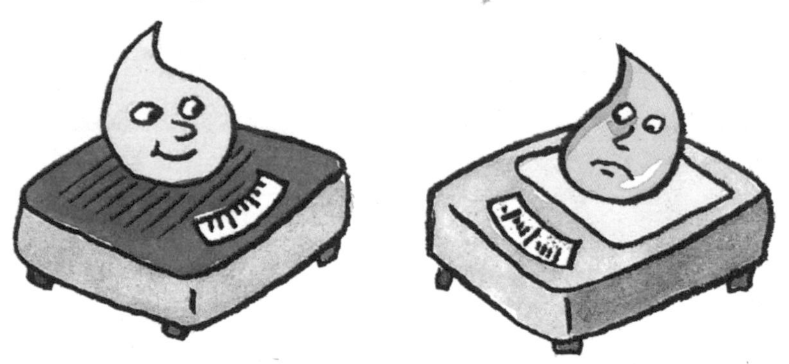

C'est pourquoi elle flotte sur l'eau, et monte donc vers la surface de l'eau lorsqu'elle est placée au fond.

4 L'application

Les roches du manteau de la Terre sont élevées à une température qui les rend déformables.

Quand une roche s'échauffe, elle devient moins dense que les roches qui l'entourent. Elle forme alors une goutte solide, qu'on appelle un diapir, qui remonte vers la surface.
La chaleur du diapir « ramollit » la croûte terrestre, ce qui lui permet de la traverser jusqu'à la proximité de la surface.

Un chauffage qui allège

La lave parvient chaude à la surface de la Terre. D'autres roches réchauffées dans les profondeurs n'atteignent pas la surface dans leur ascension. Qu'est-ce qui les retient ?

1 Le matériel

- **2 bougies** d'éclairage
- **1 petit bocal** de conserve en verre
- **2 petites boîtes** de conserve
- **1 grande assiette**
- **1 couteau**

2 La manipulation

L'expérience se fait en présence d'un adulte.

1 Découpe 1 bougie en morceaux, puis jette tous les morceaux sauf 2 dans le bocal.

2 Pose le bocal sur les boîtes placées dans l'assiette autour de la 2e bougie. Demande à un adulte d'allumer la bougie.

3 Dès que la bougie contenue dans le bocal est liquide, éteins la 2e bougie puis jette dans le liquide les morceaux de bougie que tu as conservés.

Flottent-ils ou coulent-ils ?

3 L'explication

Les morceaux de bougie froids coulent au fond de la cire chaude.

Quand elle s'échauffe, la cire de la bougie prend de plus en plus de place jusqu'à devenir liquide. Cela fait que la cire chaude, liquide, prend plus de place que la cire froide, solide.

Pour une même quantité, elle est moins lourde, on dit qu'elle perd de la densité. La cire froide, plus dense, coule alors dans la cire chaude.

4 L'application

Certaines roches remontées des profondeurs de la Terre ne parviennent pas jusqu'à la surface, le granit par exemple. On ne les rencontre que lorsque le soulèvement de montagnes les a fait remonter ou quand le vent et l'eau ont dégagé ce qui les surplombait. Ces roches ont pu remonter très lentement sur les roches plus denses qui les entouraient. Si elles se sont ensuite arrêtées, c'est qu'elles ont refroidi en montant, prenant ainsi de plus en plus de densité, jusqu'à ne plus flotter sur les roches qui les environnaient.

Volcans paisibles ou colériques !

expérience SIMPLE

Les volcans n'ont pas tous le même type d'éruption. Pourquoi ces différences ?

1 Le matériel

- *3 boîtes de pellicule photo*
- *1 compas*
- *du bicarbonate de soude (en pharmacie)*
- *du vinaigre*
- *de l'amidon de maïs (farine de maïs)*
- *1 cuiller à café*

2 La manipulation

L'expérience se fait à l'extérieur.

1 Remplis les 3 boîtes à moitié avec du vinaigre. Dans l'une, mélange 1 cuiller d'amidon de maïs.

2 Fais 10 trous dans les couvercles de la boîte contenant de l'amidon et d'une autre boîte.

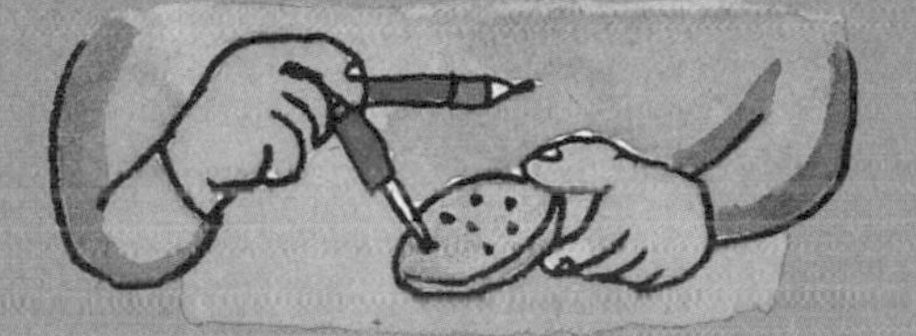

3 Remplis de bicarbonate le couvercle de chaque boîte ; ferme les boîtes en laissant le bicarbonate tomber dedans et éloigne-toi.

Observes-tu le même résultat pour les 3 boîtes ?

3 L'explication

Quelques bulles sortent par les trous de la boîte contenant de l'amidon puis, soit son bouchon saute, soit il s'ouvre d'un côté. Du liquide épais coule hors de la boîte.

Le couvercle sans trou est éjecté par un jet de liquide, puis celui-ci s'écoule de la boîte. Des trous de la troisième boîte jaillit une fontaine blanche !

Mélangés, le vinaigre et le bicarbonate réagissent en produisant du gaz. Ce gaz se trouve bientôt à l'étroit dans la boîte, et il en sort en entraînant du liquide.

L'amidon de maïs épaissit le vinaigre, l'alourdit et l'empêche de gicler hors de la boîte.
C'est pourquoi le mélange s'écoule.

4 L'application

L'éruption d'un volcan est due
à des remontées de roches chaudes depuis
les profondeurs. Arrivées près de la surface,
ces roches deviennent liquides par endroits.
Des gaz qu'elles contiennent peuvent
s'échapper en entraînant les roches
avec eux. Cela provoque des fontaines
de lave, ou simplement des coulées lorsque
la lave est épaisse et visqueuse. Parfois,
cette lave est tellement visqueuse
qu'elle bouche le cratère. Si le volcan
ne possède pas de zones fragiles qui peuvent
se fracturer et laisser écouler la lave
et les gaz qui l'accompagnent, il explose.

Comment faire des cristaux ?

Certaines roches contiennent des cristaux, d'autres pas ou très peu. À quoi est due cette différence ?

2 La manipulation

1 Mélange beaucoup de sel à l'eau de la carafe. Ajoute du sel jusqu'à ce que tu ne puisses plus mélanger.

2 Remplis d'eau salée les 2 verres et plonge 1 crayon dans chaque verre.

3 Place aussitôt 1 verre dans le réfrigérateur et l'autre à l'abri du froid, près du radiateur ou d'une fenêtre ensoleillée.

4 Quand l'eau est refroidie, sors le verre du réfrigérateur et pose-le dans un endroit frais et sombre.

5 Attends plusieurs jours que l'eau des verres s'évapore.

Observes-tu des différences entre les 2 verres ?

3 L'explication

Là où l'eau s'est évaporée, les crayons sont recouverts de cristaux de sel. Le crayon du verre qui est passé dans le réfrigérateur est couvert de cristaux plus nombreux et plus gros que l'autre crayon.

Quand le sel se dissout dans l'eau, il se mélange si bien que l'eau redevient transparente. Lorsque l'eau s'évapore en se transformant en gaz, le sel reste dans le verre. Il reforme alors des cristaux.

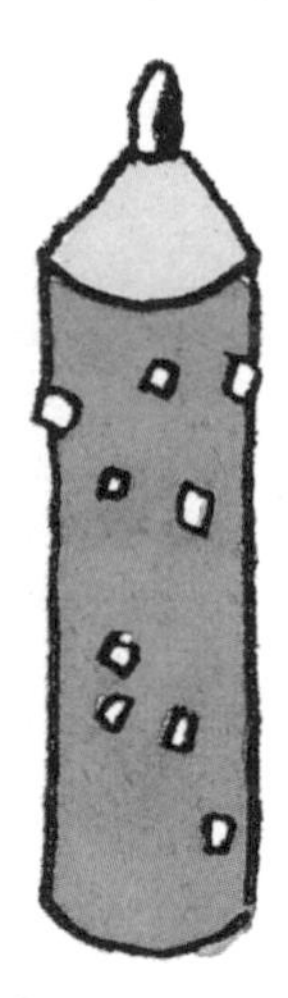

Si l'eau s'évapore très vite, les cristaux refroidissent très vite à l'air et ont à peine le temps de se former. Dans l'eau refroidie au départ, les cristaux ont du temps pour devenir plus gros et plus nombreux.

4 L'application

En traversant la croûte terrestre, les magmas de roches se refroidissent plus ou moins vite. Ceux qui, comme la lave, sont éjectés dans les volcans se refroidissent très vite : peu de cristaux ont le temps de se former. En revanche ceux qui, comme le granit, mettent plus de temps à remonter se refroidissent plus lentement. Les cristaux peuvent alors se former.

Mesurer la force des séismes

expérience SIMPLE

Les géologues qui étudient les tremblements de terre utilisent des appareils de mesure, les sismographes. Comment fonctionnent-ils ?

1 Le matériel

- *1 bouteille de jus de fruit en verre pleine*
- *1 crayon*
- *1 stylo-feutre*
- *1 grosse gomme*
- *du ruban adhésif*
- *1 feuille blanche*
- *20 cm de fil à coudre*

2 La manipulation

La manipulation est plus facile à deux.

1 Fabrique ton sismographe comme sur le dessin et pose-le sur une table. La pointe du feutre doit écrire sur le papier sans trop frotter sur lui.

2 Pendant que l'un de vous tire doucement la feuille bien droite, l'autre donne des coups secs sur la table, à plusieurs endroits.

Qu'observez-vous sur le papier ?

3 L'explication

La ligne bien droite tracée par le feutre effectue de brusques sauts à chaque coup de poing.

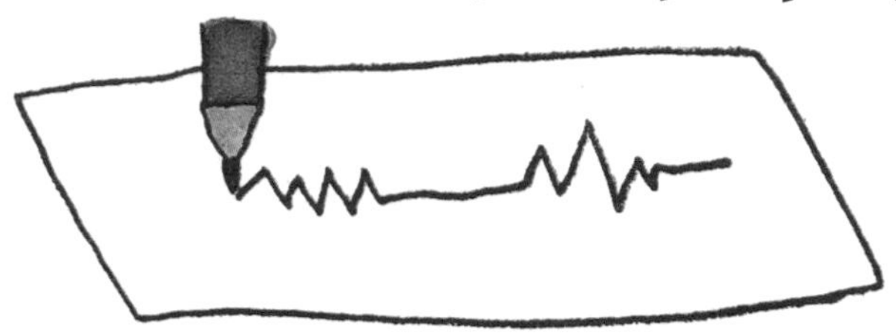

À chaque coup sur la table, des ondes se propagent autour de l'endroit frappé, comme des vagues se déplacent autour d'un caillou jeté dans l'eau. La propagation des ondes provoquées par le choc se fait horizontalement sur la table, bien que des objets posés sautent verticalement à leur passage. Le feutre alourdi par la gomme ne subit pas le choc vertical ; il n'enregistre que le déplacement horizontal de l'onde de choc.

4 L'application

Les ondes provoquées par les tremblements de terre se déplacent en suivant l'écorce terrestre, mais aussi en traversant la Terre. Ainsi, un séisme survenu en Chine peut être enregistré en Afrique...
Il existe deux sortes de sismographes, les uns se déplaçant horizontalement comme celui de cette expérience, les autres verticalement. En comparant les données enregistrées par différents sismographes pour un même séisme, les sismologues peuvent découvrir son lieu d'origine.

Des maisons bâties où tout tremble

expérience TRÈS FACILE

Dans les régions soumises aux tremblements de terre, on tente de construire des bâtiments qui ne se détruisent pas lorsqu'ils bougent. Comment faire ?

1 Le matériel

- 1 marteau
- 1 petite planche épaisse
- 1 table
- 30 morceaux de sucre

2 La manipulation

1 Fabrique plusieurs « bâtiments » en sucre sur la table et place-les plus ou moins loin de la planche.

2 Donne un petit coup de marteau sur la planche et observe la réaction des constructions.

3 Remets en place les bâtiments et donne cette fois un coup de marteau plus fort sur la planche.

Que remarques-tu ?

Les constructions les plus proches de la planche s'écroulent facilement. Mais une construction éloignée plus haute que large s'écroule aussi.

Quand la surface de la table bouge en laissant circuler l'onde de choc du coup de marteau, elle transmet cette onde aux morceaux de sucre. Plus on s'éloigne de la planche, plus l'onde est amortie par le bois de la table.

L'onde provoque des chocs à l'horizontale qui disloquent les murs, et à la verticale qui les font sauter.

4 L'application

Dans les pays où surviennent souvent des séismes, on imagine des constructions qui leur résistent. Il faut d'abord choisir le terrain sur lequel on construit : si le sol et le sous-sol risquent de glisser sous l'action d'une forte secousse, ils entraîneront avec eux les bâtiments. Ensuite, les constructions ne doivent pas être trop hautes. Cependant, au Japon, les grandes tours peuvent se balancer sans se briser : les bâtiments sont bien fixés au sol et leurs éléments sont solidement accrochés entre eux, tout en pouvant osciller sans se rompre.

Ça plie ou ça casse ?

Les séismes forgent des paysages spectaculaires, par exemple deux morceaux de chaussée décalés en hauteur. À quoi cela est-il dû ?

1 Le matériel

- 1 bouteille de boisson gazeuse en plastique lisse
- des ciseaux
- du sable fin
- de la farine
- de l'amidon de maïs (fleur de maïs)
- de l'eau

2 La manipulation

1 Découpe le haut de la bouteille puis coupe le bas en 2 sur toute la longueur.

2 Emboîte les 2 parties de bouteille, puis verse 1 couche de sable, mouille-la. Dépose 1 couche de farine que tu mouilles, puis 1 couche d'amidon de maïs, que tu mouilles aussi.

3 Attends 1 heure que les couches sèchent un peu. Puis pousse doucement les 2 parties de bouteille l'une dans l'autre en observant les couches.

4 Pousse les 2 parties l'une dans l'autre d'un coup sec.

Que font les couches ?

Quand on les pousse doucement, les couches se plient. On dit qu'elles plissent. Si elles sont poussées brutalement, on peut observer des cassures nettes dans les couches. Un morceau de couche monte alors au-dessus de l'autre.

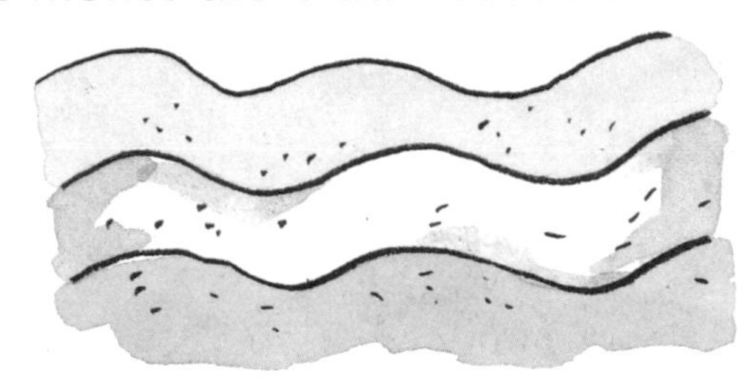

Humides, le sable, la farine et l'amidon de maïs sont assez souples pour qu'on puisse les modeler, les plisser. Mais si la secousse qui les déforme est forte et rapide, leurs grains n'ont pas le temps de glisser les uns contre les autres en pliant la couche. Celle-ci se casse.

4 L'application

Les tremblements de terre sont le résultat de mouvements de l'écorce terrestre causés par les déplacements horizontaux et verticaux de roches très chaudes et plastiques (déformables) dans le manteau terrestre. Ces déplacements se font à des vitesses plus ou moins importantes, de deux à six centimètres par an. Cela paraît peu, mais les mouvements ne sont pas continus, ils sont saccadés. Responsables de la formation des montagnes, ces mouvements brisent souvent des morceaux de l'écorce terrestre, provoquant des cassures que les géologues appellent des failles.

Casser la croûte

expérience SIMPLE

Par endroits, les continents sont étirés comme un élastique que l'on tend. Comment peut-on se rendre compte de cet étirement ?

2 La manipulation

1 Découpe le haut de la bouteille puis coupe le bas en 2 sur toute la longueur.

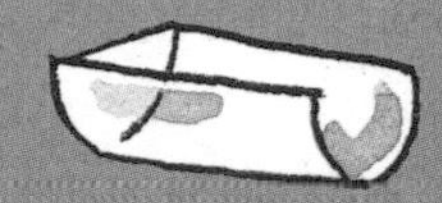
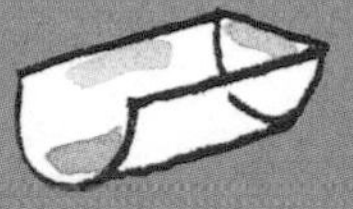

2 Emboîte les 2 parties de bouteille, puis verse 1 couche de sable, mouille-la. Dépose 1 couche de farine que tu mouilles. puis 1 couche d'amidon de maïs, que tu mouilles aussi.

3 Attends 1 heure que les couches sèchent un peu. Puis écarte brusquement les 2 parties de bouteille l'une de l'autre en observant les couches.

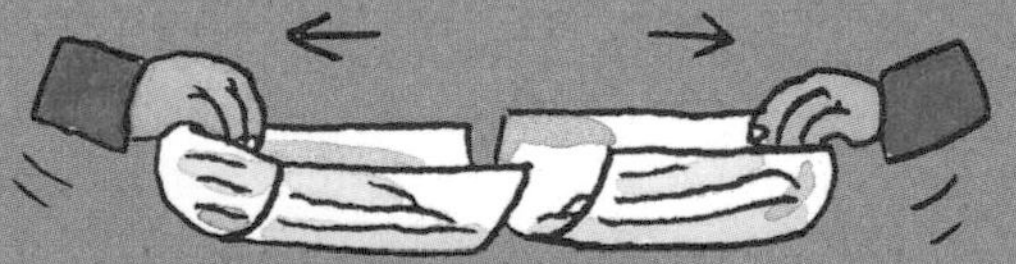

Que se passe-t-il ?

3 L'explication

Les couches se cassent en formant un creux et des marches au milieu du récipient.

En tirant brusquement, on étire les couches. Comme celles-ci ne sont pas élastiques, elles se brisent là où elles sont le plus fragiles. Cette zone plus fragile perd alors de l'épaisseur et s'affaisse, provoquant la formation de marches.

4 L'application

Quand les géologues se sont rendu compte que l'est de l'Afrique abritait un grand nombre de failles dues à des affaissements de l'écorce terrestre, ils ont su que la nature leur offrait là un immense laboratoire naturel impossible à reproduire dans une salle. En effet, ces affaissements peuvent être tous reliés entre eux, et même à la mer Rouge au nord. Ils sont dûs à l'étirement de la plaque terrestre dans laquelle est ancrée l'Afrique, et qui se sépare en deux, d'est en ouest.

Piéger le gaz

Une roche, qui est un solide, peut-elle contenir du gaz ?

1 Le matériel

- 1 verre
- de l'eau
- de la farine
- du vinaigre
- 1 cuiller à café
- du bicarbonate de soude (en pharmacie)

2 La manipulation

1 Mélange dans le verre 1 cuillerée de bicarbonate et 3 cuillerées de farine.

2 Verse 1 cuillerée de vinaigre dans le mélange.

3 Attends que la réaction que tu as provoquée s'arrête et laisse sécher la pâte obtenue pendant une journée.

4 Remplis le verre d'eau par-dessus la pâte séchée, puis casse la pâte avec le manche de la cuiller.

Que se passe-t-il ?

3 L'explication

Des bulles d'air sortent de la pâte solidifiée et viennent éclater à la surface de l'eau.

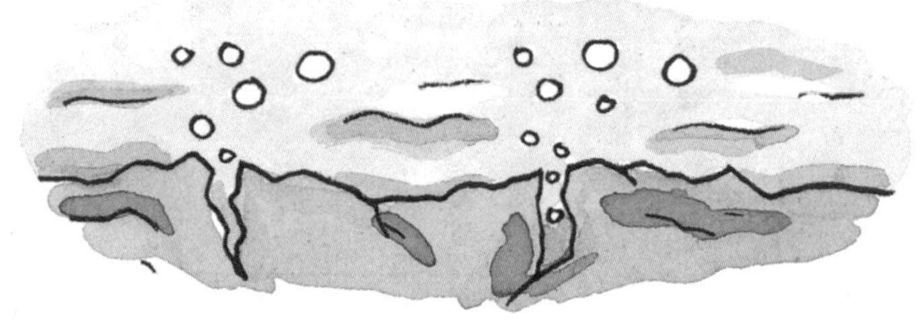

Le mélange de vinaigre et de bicarbonate provoque une réaction chimique qui dégage un gaz. C'est ce qui produit des bulles au début de la manipulation.

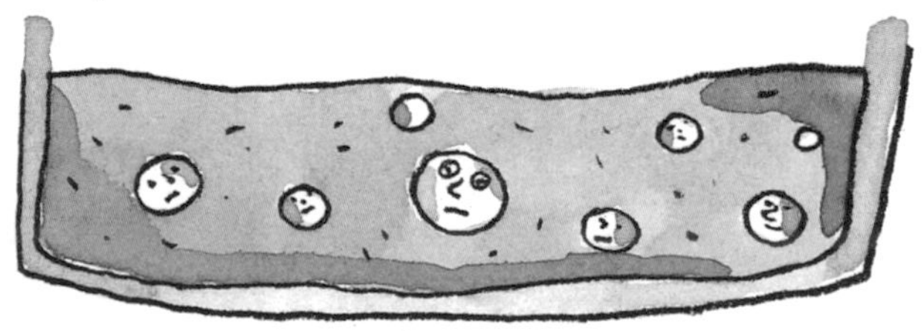

Mélangée à l'eau contenue dans le vinaigre, la farine forme une pâte compacte qui piège une partie du gaz formé par la réaction. On libère ce gaz lorsqu'on casse la pâte.

Un objet solide et apparemment compact peut donc contenir du gaz.

Les roches des profondeurs terrestres contiennent beaucoup de gaz. Celui-ci sort dans l'atmosphère par les conduits de l'écorce terrestre comme les volcans. En se solidifiant, les roches qui ont formé la Terre il y a 4,5 milliards d'années se sont séparées des gaz auxquels elles étaient mélangées. Ces gaz ont constitué l'atmosphère de notre planète et son hydrosphère (l'eau sous forme de gaz, de liquide ou de glace).

expérience TRÈS FACILE

La pression pour conserver le gaz

Pourquoi les gaz piégés dans l'écorce terrestre ne s'échappent-ils pas tous d'un coup ?

1 Le matériel

- 1 bocal de confiture vide et son couvercle
- du vinaigre
- du bicarbonate de soude (en pharmacie)

2 La manipulation

1 Verse un fond de vinaigre dans le bocal.

2 Jette une pincée de bicarbonate dans le vinaigre et referme immédiatement le couvercle bien hermétiquement.

3 Attends que la réaction que tu as provoquée s'arrête et ouvre le couvercle.

Que se passe-t-il ?

3 L'explication

Des bulles apparaissent lorsqu'on ouvre le couvercle !

Le vinaigre et le bicarbonate réagissent en dégageant du gaz. Lorsque le couvercle est fermé, le gaz remplit le bocal. Puisque le bocal ne peut pas se gonfler comme un ballon, la pression du gaz qu'il contient augmente au fur et à mesure qu'il est produit, puis se stabilise...

Quand on ouvre le bocal, la pression diminue et le gaz dissous dans le liquide s'échappe alors.
Puis, la pression extérieure au liquide est trop importante pour que du gaz s'échappe encore ; on ne voit plus de bulles sortir du liquide.

4 L'application

Dans une bouteille de boisson gazeuse, la pression empêche les bulles de se former tant que le bouchon est fermé. Quant aux roches qui composent les profondeurs de la Terre, elles subissent des pressions bien plus énormes dues au poids des couches rocheuses qui les surplombent. Les gaz qu'elles dégagent ou qui se forment en elles sont piégés par cette pression. Ils ne sortent vers l'atmosphère que lorsque le « couvercle saute », durant une éruption volcanique par exemple, ou lorsque l'écorce terrestre se fracture.

HISTOIRE

Le cœur de la terre

Au milieu du **17e siècle**, l'évêque irlandais James Usher, se référant aux textes bibliques, affirmait que le monde était né en 4004 avant notre ère. Puis, en **1771**, le naturaliste français Georges Buffon (1707-1788), en se basant sur la vitesse du refroidissement de la Terre et d'érosion des reliefs, estime dans ses manuscrits l'âge de la Terre à 3 millions d'années. Mais son estimation est bien loin des récits bibliques et, craignant d'être condamné, il déclare que la Terre a 75 000 ans.

Quel âge a notre planète ?

À la fin du **19e siècle**, le physicien anglais William Thomson (1824-1907),

plus connu sous le nom de lord Kelvin, se base sur le refroidissement du globe terrestre pour affirmer que la Terre est vieille de 100 millions d'années.

Voyage au centre de la Terre

Au début du **20e siècle**, l'Anglais Ernest Rutherford (1871-1937) propose d'utiliser la radioactivité pour dater les roches terrestres. Petit à petit, on arrivera, dans les **années 1950**, à donner à la Terre l'âge de 4,5 milliards d'années. Le Romain Pline le Jeune (61-114 apr. J-.C.) est considéré comme le premier volcanologue de l'histoire. Il décrivit avec précision l'éruption du volcan italien le Vésuve.

Pour un autre Italien, Giordano Bruno (1548-1650), l'activité des volcans est le résultat de la rencontre de l'eau et du feu puisque la plupart des volcans sont proches de la mer.
De nombreuses suppositions, parfois fantaisistes, seront faites ensuite sur la cause du volcanisme.
Le médecin écossais James Hutton (1726-1797), le premier, propose que les laves qui sortent des volcans proviennent de zones internes en fusion. Il n'y a donc pas de feu souterrain, mais des roches très chaudes. Les roches volcaniques proviennent de la fusion (elles se liquéfient sous l'effet de la décompression pendant leur remontée à la surface).
Au cours du **19e siècle**, les géologues français Ferdinand Fouqué (1828-1904) et Auguste Michel-Lévy (1844-1911) synthétisèrent les premiers minéraux en laboratoire

(feldspath, olivine...) Petit à petit, on se rend compte des pressions et des températures importantes qui doivent régner dans les profondeurs de la Terre pour fondre les roches. L'invention du sismographe enregistreur, dans le courant du 19e siècle, permit aux géologues de sonder les profondeurs terrestres. En effet, les ondes des tremblements de terre ne passent pas de la même façon dans toutes les roches. Elles sont ralenties ou arrêtées lorsque les roches sont plus fluides, et déviées lorsqu'elles passent d'une couche de roches à l'autre, les deux n'ayant pas la même composition. C'est ainsi qu'aujourd'hui encore, de nombreuses campagnes de mesures sismiques sont organisées pour tenter de percer les secrets de l'intérieur de la Terre.

FUTUR

Le cœur de la terre

La révolution des sciences de la Terre

Depuis les années 1960, une véritable révolution des sciences de la Terre est à l'origine d'une nouvelle génération de géologues. Ceux-ci sont devenus « hyper-spécialisés » et les pôles de recherche se sont multipliés. Au début du **20e siècle**, on ne trouvait, en Europe, que quelques personnes et quelques

personnes et quelques laboratoires qui s'intéressaient à une discipline donnée. Aujourd'hui, il existe des milliers de chercheurs et de laboratoires en compétition pour la « grande découverte » qui les fera entrer dans l'histoire de la géologie. Par exemple, la géochimie, qui étudie les conditions de formation des minéraux et la

La géologie : une science lente

composition des roches terrestres (en surface et en profondeur), est divisée en dizaines de sous-disciplines. Les géochimistes doivent constamment se tenir

informés des derniers travaux publiés dans des revues internationales, assister à des congrès scientifiques internationaux, comme ceux que l'Union américaine de géologie organise deux fois par an. Les géologues savent que, comme le temps géologique, les connaissances progressent très lentement. En quelques années, l'enfant acquiert à l'école les connaissances que les plus grands scientifiques ont mis des siècles à découvrir. Le géologue va encore ramasser des pierres sur le terrain. Mais c'est dans son laboratoire, et souvent devant son ordinateur, qu'il passe le plus de temps. Pour scruter l'intérieur de la Terre ou l'imaginer, des équipes de géologues de spécialisations différentes se constituent. Elles récoltent des informations sur la gravité et le magnétisme

Comprendre la Terre en observant la Lune

terrestres,
le comportement des matériaux (minéraux, roches) à très haute pression et très haute température, et surtout les trajets des ondes sismiques à l'intérieur de la Terre.
L'exploration spatiale, l'origine commune des planètes, les manifestations géologiques (volcanisme extraterrestre), les pas de l'homme sur la Lune et l'étrange ressemblance des basaltes (laves) terrestres et lunaires... font que géologie rime de plus en plus avec cosmologie.
Désormais, les mystères de la Terre ne peuvent être déchiffrés qu'au sein du cosmos.

BLOC-NOTES

Les expériences que tu viens de découvrir dans ce livre ont été rédigées et testées par l'association des Petits Débrouillards. Dans toutes les régions de France, cette association propose aux jeunes des animations pour découvrir les sciences en s'amusant. Et il existe même des Petits Débrouillards dans de nombreux autres pays.
En rejoignant les Petits Débrouillards de ta région, tu pourras choisir de nombreux thèmes à explorer : l'espace, la chimie, la météorologie, l'environnement, la ville, le corps humain, et bien d'autres encore. Dans des clubs, des ateliers, des centres de vacances, des classes de découverte, tu réaliseras encore plus d'expériences et tu pourras même préparer des maquettes, des machines, des jouets que tu seras invité à présenter dans des expositions !

L'ASSOCIATION NATIONALE DES PETITS DÉBROUILLARDS, C'EST :
Plus de 100 clubs locaux, 50 centres de vacances et classes de découverte, plus de 2 000 ateliers dans les écoles, les centres de loisirs et les « bas d'immeuble ».
Elle est soutenue par : Le ministère de l'Éducation nationale, le ministère de la Culture, le ministère de la Jeunesse et des Sports, le ministère de la Ville.

Fais connaissance avec les Petits Débrouillards de ta région en t'adressant à :
Les Petits Débrouillards, La Halle aux cuirs, 2 rue de la Clôture, 75930 Paris cedex 19
sur Internet : anpd@infonie. fr
sur son site web : http ://www.lespetitsdebrouillards.com

Pour les 8-12 ans

l'Encyclopédie pratique des Petits Débrouillards

- **Volume** **1.** À la découverte de l'eau
- **Volume** **2.** L'invisible
- **Volume** **3.** Vivre de mille manières
- **Volume** **4.** Les secrets de l'air
- **Volume** **5.** Planète Terre
- **Volume** **6.** Le monde des extrêmes
- **Volume** **7.** Des machines pour explorer le monde
- **Volume** **8.** L'infiniment petit
- **Volume** **9.** L'Univers, la Terre et les humains
- **Volume** **10.** Qui sommes-nous ?

Sciences en poche

- **Les surprises du toucher**
- **Les transformations de l'eau**
- **Les nuages et la pluie**
- **Le goût et l'odorat**
- **Les mystères de la vision**
- **Les origines de la vie**
- **Le puzzle des continents**

Hors série

- **Le Soleil et ses éclipses**
- **L'eau, un bien à protéger**
- **L'électricité, une énergie à maîtriser**
- **La mer**

Pour les 5-7 ans

Les 5/7 ans, une série de livres complices à partager avec les plus petits :

- **Le goût et la cuisine**
- **La vue et les couleurs**
- **L'ouïe et la musique**
- **Le toucher et le corps**
- **L'odorat et la nature**
- **La nuit et le sommeil**
- **La rue et la prudence**
- **La campagne et la nature**
- **La maison et ses secrets**

Imprimé en France sur les presses
de Pollina, 85400 Luçon - n° L82459